P9-CRP-247

LES HANDICAPÉS

L'édition originale de cet ouvrage
a paru sous le titre: *Disabled People*
Copyright © Aladdin Books Ltd, 1991
28, Percy Street, London W1P 9FF
All rights reserved

Adaptation française de Marcel Fortin et Jeannie Henno
Copyright © Éditions Gamma, Tournai, 1992
D/1992/0195/57
ISBN 2-7130-1343-7
(édition originale: ISBN 0 7496 0635 5)

Exclusivité au Canada:
Les Éditions École Active,
2244, rue Rouen, Montréal H2K 1L5
Bibliothèque nationale du Québec
Bibliothèque nationale du Canada
ISBN 2-89069-230-2

Imprimé en Belgique

«Parlons-en...»

LES HANDICAPÉS

PETE SANDERS – MARCEL FORTIN – JEANNIE HENNO

Bibliothèque
École Frère André
273 rue Cundles Est
Barrie, Ont. L4M 4S5

Éditions Gamma – Les Éditions École Active
Paris – Tournai – Montréal

Nous sommes tous doués, mais différemment. Les écoles
– comme bien d'autres endroits – ne sont pas toujours adaptées
aux besoins des uns et des autres, spécialement de ceux
qui souffrent d'un handicap.

Pourquoi parler des handicapés?

Pense à tes amis et à tous ceux que tu connais, à l'école, dans ta famille ou autour de toi et tu te rendras compte que nous avons tous des dons différents. Ton ami est peut-être bon en calcul alors que tu trouves les maths difficiles. Mais tu aimes peut-être courir alors que lui ne court pas vite du tout. As-tu déjà échoué à l'école dans une matière? Oui? Alors, tu peux comprendre ce que ressent celui qui est jugé en fonction de ce qu'il ne sait pas faire et non d'après ce qu'il sait faire. Une personne sur dix souffre d'un handicap, d'une infirmité. Trop souvent, on ne remarque que le handicap et l'on ne voit plus l'individu. C'est la raison pour laquelle les handicapés sont parfois ignorés ou traités avec moins de respect que d'autres. Les handicapés n'ont pas toujours les mêmes possibilités que les personnes sans infirmités. Tous nous avons des besoins particuliers. Ce livre t'aidera à mieux comprendre ce que c'est que de vivre avec un handicap.

On pense généralement qu'il est bon que handicapés et non-handicapés fréquentent les mêmes écoles. Cela nous aide tous à mieux nous comprendre les uns les autres.

Qu'entend-on par handicap?

Le cerveau est en quelque sorte le centre de contrôle du corps.
C'est lui qui envoie les signaux qui font fonctionner notre
corps. Chez un handicapé physique, une partie du corps est
généralement incapable de répondre aux signaux envoyés par
le cerveau, et cela parce qu'elle a été endommagée. Si tu t'es
déjà cassé une jambe, par exemple, tu peux mieux comprendre
ce que cela signifie. Il existe plusieurs sortes de handicaps
physiques. Tu connais sans doute déjà la cécité (être aveugle)
ou la surdité (être sourd). Mais peut-être n'as-tu pas encore
entendu parler de la paraplégie, par exemple, qui peut survenir
quand la colonne vertébrale est touchée.

Si le cerveau n'est pas capable d'envoyer des messages clairs
au corps ou est lui-même endommagé, la personne est
mentalement handicapée. Il ou elle peut avoir des difficultés
à penser clairement ou à exprimer ses idées et ses sentiments
de la même façon que toi. Le handicapé mental apprendra
sans doute aussi plus lentement.

Certains sont handicapés dès leur naissance. Leur maladie peut être héréditaire, comme la dystrophie musculaire qui atteint les muscles. Chez d'autres, c'est un accident ou une maladie comme la polio qui est cause du handicap. Quelques handicaps peuvent être guéris, d'autres pas.

Dans certains cas, le handicap s'aggrave inévitablement avec les années. C'est souvent le cas de la sclérose en plaques, par exemple, qui touche le système nerveux central.

On confond souvent handicap avec incapacité.

Ce n'est pas parce que quelqu'un est handicapé qu'il sera forcément incapable de faire certaines choses. Les non-handicapés ont tendance à penser qu'une personne incapable de parler en raison d'un handicap physique est aussi mentalement handicapée. Certains handicapés communiquent avec les autres d'une manière qui peut te paraître étrange. Mais faire les choses d'une manière différente ne veut pas dire être incapable de les faire.

En regardant quelqu'un, il n'est pas toujours possible de voir s'il est handicapé ou non. Certains handicaps ne se voient pas. On ne remarque pas immédiatement, par exemple, qu'une personne est sourde.

Quelles difficultés les handicapés doivent-ils surmonter?

Tu as déjà compris qu'une des plus grandes difficultés que doit surmonter un handicapé, c'est l'attitude des autres personnes. Par crainte ou par ignorance le plus souvent, certains font semblant de ne pas voir le handicapé. D'autres, qui sont animés de bonnes intentions, mais qui agissent sans réfléchir, s'occupent trop du handicapé. Tu n'aimes pas qu'un adulte te croie incapable de faire certaines choses. Le handicapé non plus. À cause de cette sorte de préjugé, les handicapés ont souvent du mal à trouver du travail, bien que, dans plusieurs cas, des lois obligent maintenant les services publics à employer un certain nombre de handicapés.

Quelle que soit l'attitude des autres, le handicapé peut éprouver des sentiments mêlés par rapport à son handicap. Quelqu'un qui n'est pas handicapé de naissance doit s'habituer à certains changements, et cela ne se fera que peu à peu.

10

Ce jeune garçon handicapé physique travaille
avec un physiothérapeute pour fortifier ses muscles
et améliorer sa motricité. La vie quotidienne d'un handicapé
demande souvent d'énormes efforts.

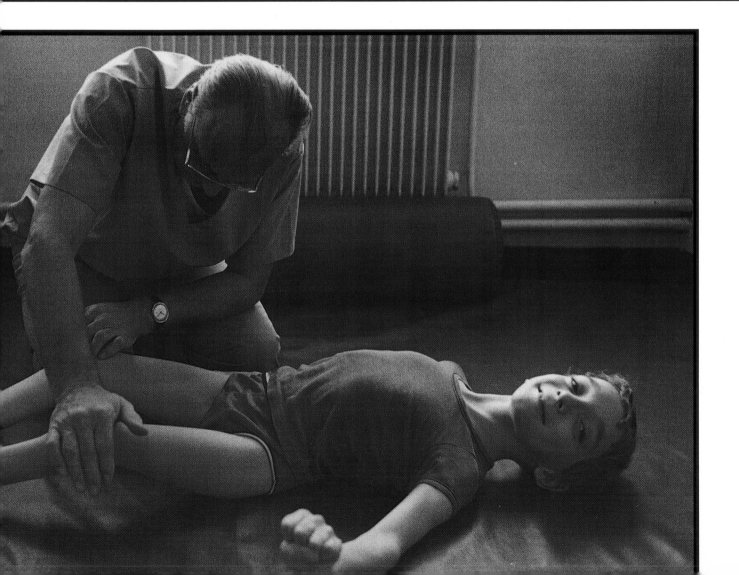

Dans l'environnement quotidien, on tient rarement compte des besoins particuliers des handicapés. Les modifications nécessaires demandent du temps et de l'argent. Tu as sans doute déjà rencontré des personnes en fauteuil roulant ou portant un appareil auditif. Tu peux constater que les objets quotidiens, les maisons, les lieux de travail peuvent être adaptés à leurs besoins. Deux exemples parmi d'autres : des meubles de cuisine plus bas sont fabriqués pour les personnes en fauteuil roulant et des livres sont imprimés en braille pour les aveugles. Mais souvent les handicapés n'ont pas assez d'argent pour obtenir l'équipement ou l'aide dont ils ont besoin.

Il peut être difficile pour un handicapé physique d'aller au cinéma ou d'accéder à un centre sportif. Souvent, les portes sont trop étroites ou il y a des marches à franchir, à l'extérieur comme à l'intérieur.

De nombreux établissements ne sont pas accessibles aux handicapés. Et quand un accès a été aménagé à leur intention, dans un cinéma par exemple, les handicapés doivent parfois se placer sur le côté.

Quelle aide les handicapés peuvent-ils obtenir?

Les handicapés n'ont pas tous besoin d'assistance, mais on a prévu de l'aide pour ceux qui en ont besoin. Malheureusement, il arrive qu'on ne puisse leur apporter toute l'aide nécessaire. Parfois les handicapés eux-mêmes ne veulent pas la demander, souvent aussi, il n'est pas facile pour eux d'obtenir ce qu'ils veulent. D'autres ignorent les services qu'on leur offre ou ne savent pas comment s'y prendre pour en bénéficier. Une partie des taxes que les habitants du pays paient à l'État sert à permettre aux handicapés d'acheter les appareils dont ils ont besoin. Des organisations charitables accordent aussi de l'aide. Les handicapés peuvent se rencontrer et s'entraider au sein d'associations. Des écoles spéciales existent pour les enfants qui souffrent de divers handicaps. Des associations encouragent handicapés et non-handicapés à se livrer ensemble à différentes activités. La meilleure manière d'aider un handicapé, c'est de ne pas l'isoler, de ne pas le tenir à l'écart.

Les handicapés font certaines choses d'une manière inhabituelle, qui peut paraître bizarre. Essaie donc d'écrire comme cette fille! Considérons les handicapés comme des personnes autrement douées.

15

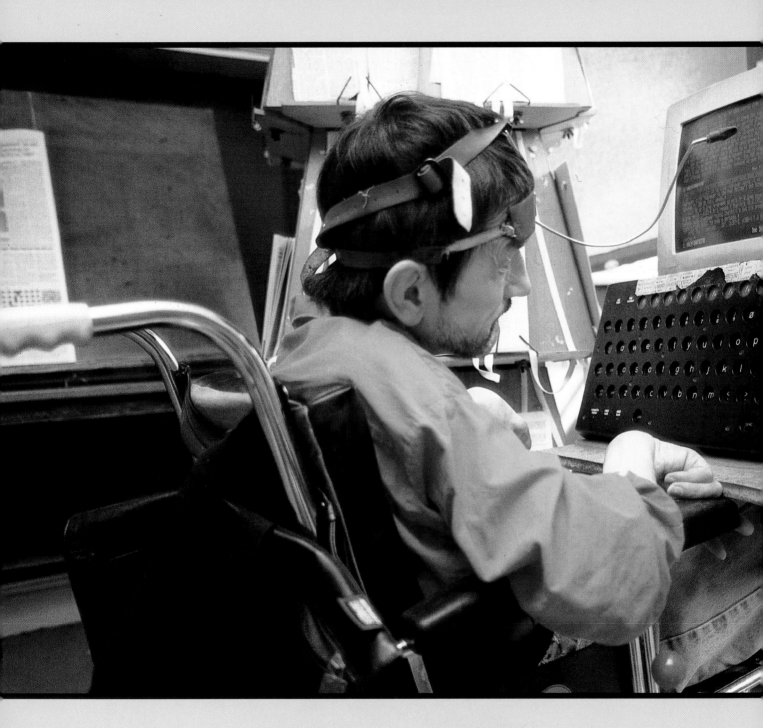

Les personnes atteintes d'un handicap grave ont souvent besoin de la présence continuelle d'un soignant, généralement quelqu'un de la famille. Si tu as dû, un jour, t'occuper d'un frère ou d'une sœur malade, tu sais combien cette présence de tous les instants peut être contraignante. À la longue, le soignant finit par avoir envie de s'échapper un peu. Pour la personne handicapée, c'est pénible aussi de dépendre d'un membre de la famille pour faire des tas de choses. Des services spécialisés peuvent aider ceux qui éprouvent de tels sentiments. Des associations organisent des vacances pour handicapés ou envoient quelqu'un à domicile pour remplacer le soignant pendant quelque temps. Malheureusement, tous les handicapés ne peuvent profiter de ces services, et l'argent manque trop souvent. Beaucoup de gens pensent qu'une plus grande partie des taxes devrait servir à permettre aux handicapés de se procurer toute l'aide nécessaire.

Bibliothèque
École Frère André
273 rue Cundles Est
Barrie, Ont. L4M 4S5

Un handicapé peut utiliser un ordinateur. Il peut appuyer sur les touches au moyen d'un appareil spécial fixé sur le front.
De nombreux appareils peuvent faciliter la vie des handicapés.

Les handicapés devraient-ils être traités autrement que les autres?

Quelqu'un a-t-il déjà voulu achever ce que tu avais commencé et que tu voulais terminer tout seul? Oui? Alors tu peux comprendre combien c'est désagréable d'être aidé sans que l'on t'ait demandé si tu avais besoin d'aide. Or, c'est ce qui se passe souvent avec les handicapés. Peut-être est-ce tout simplement parce que les gens ne savent pas comment se comporter avec un handicapé. Ils peuvent se sentir embarrassés, effrayés même, en particulier si le handicapé a un air anormal ou agit d'une façon inhabituelle. Certains se sentent un peu coupables de ne pas être, eux aussi, handicapés. Nous vivons dans une société où il est préférable de ne pas se faire remarquer en étant différent des autres. À la télévision, les annonces publicitaires nous montrent rarement des handicapés, sauf s'il s'agit d'apitoyer les téléspectateurs (par exemple pour récolter de l'argent pour une œuvre).

Les handicapés sont associés à certaines épreuves sportives. En prenant le départ un peu avant les coureurs à pied, les participants en fauteuil roulant peuvent «courir» un marathon.

Quand nous voyons des handicapés, nous nous demandons parfois ce que nous éprouverions à leur place.

C'est probablement pour cette raison que nous les plaignons souvent au lieu de les traiter comme des personnes qui ont des sentiments.

Certains handicapés doivent être traités d'une façon particulière. Tout dépend de leur handicap. Dans certains cas, demande-toi, par exemple, comment tu t'adresserais à un étranger qui ne parle presque pas le français. Tu parlerais alors très clairement et très lentement. Peut-être même communiqueriez-vous par signes.

Ce qu'il faut surtout, c'est essayer de découvrir ce qui serait le plus utile au handicapé plutôt que de supposer qu'on le sait. Cela peut prendre du temps. Certains n'ont pas la patience de faire cet effort. D'autres sont trop égoïstes. N'oublie jamais que les handicapés peuvent faire des choses d'une autre manière que toi. Il suffit d'y réfléchir un peu.

> Toute relation avec quelqu'un qui est différent de nous demande un certain effort. Parfois, nous sommes trop paresseux, ou trop impatients, ou nous pensons que nous avons trop peu de temps pour nouer une relation avec un handicapé.

21

Comment se comporter avec un handicapé?

Chacun à notre manière, nous sommes différents.
T'a-t-on déjà confondu avec ton frère ou dit que tu
ressemblais fort à un autre membre de ta famille?
N'étais-tu pas alors un peu agacé? Nous sommes tous
uniques et tous doués pour certaines choses. Plutôt que
de parler de handicapés et de non-handicapés, on devrait
plutôt parler de personnes différemment douées.
Sans doute aimes-tu aider les autres. Mais auparavant,
il est important de t'assurer que ton aide est nécessaire
et sera bien acceptée. Si tu n'es pas habitué à côtoyer
un handicapé, tu te sentiras peut-être gêné au début.
Dis-le bien simplement.
Par ignorance ou par préjugé, des gens emploient, pour
désigner les handicapés, des mots qui servent à décrire
le handicap. Dans leur bouche, ces mots deviennent
une sorte d'injure, un peu comme les injures racistes.
Ils font beaucoup de mal aux handicapés.

Des fauteuils roulants électrifiés permettent aux handicapés de se déplacer plus facilement. Beaucoup n'ont besoin d'aucune aide pour se débrouiller dans la vie quotidienne.

D'autres accepteront avec plaisir l'aide que tu leur proposeras.

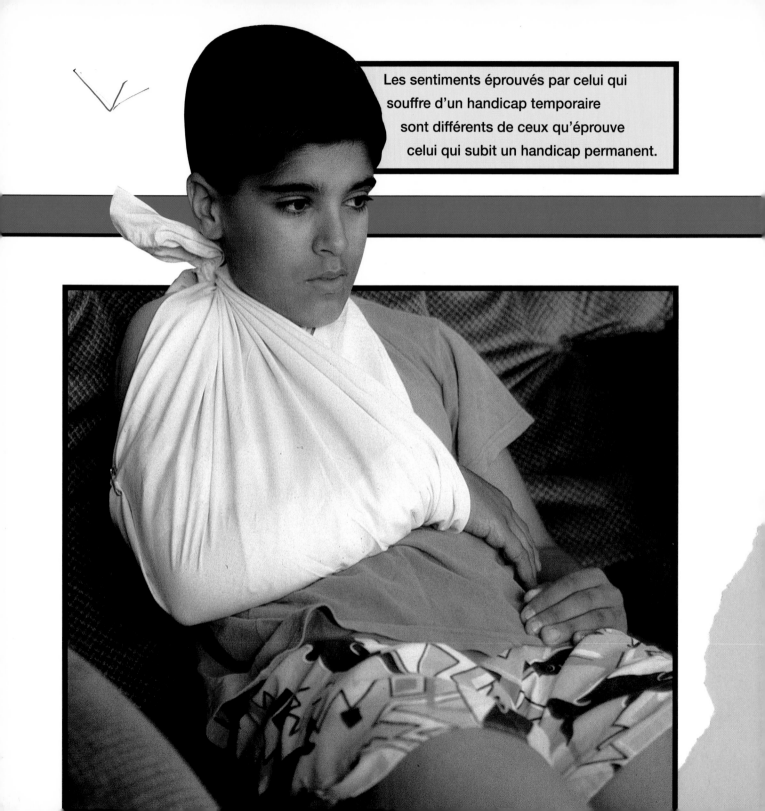

Les sentiments éprouvés par celui qui
souffre d'un handicap temporaire
sont différents de ceux qu'éprouve
celui qui subit un handicap permanent.

Quels sentiments un handicapé éprouve-t-il?

Comme tout le monde, un handicapé peut éprouver des sentiments différents à des moments différents. Rappelle-toi : parfois, tu as confiance en toi avant d'entreprendre quelque chose de nouveau, mais parfois tu es énervé et tu trouves difficile ce que tu as pourtant l'habitude de faire sans problème. Les sentiments éprouvés par un handicapé dépendront des circonstances et de la personne. Bien sûr, le handicapé qui n'a pas de gros problèmes d'argent peut plus facilement vivre comme il le souhaite. Les gens qui sont handicapés depuis longtemps se sont sans doute adaptés à leur situation, mais il reste probablement des choses qu'ils acceptent plus difficilement. Ceux dont le handicap est récent – à la suite d'un accident, par exemple – ont besoin d'un certain temps pour s'habituer à leur nouvelle vie. Les handicapés peuvent être déprimés. Ils dirigent parfois leur mauvaise humeur contre les membres de leur famille ou contre leurs amis.

T'est-il déjà arrivé d'avoir le bras en écharpe et de sentir la frustration de ne pouvoir faire des choses pourtant habituelles? C'était l'occasion d'apprendre à faire les choses autrement, si nécessaire. Ce doit être très pénible d'avoir besoin d'aide alors qu'on voudrait être traité comme n'importe quelle autre personne. Certains handicapés essaient de cacher leur handicap à cause de la manière dont notre société traite trop souvent les handicapés. La plupart des handicapés ont appris, avec le temps, à vivre avec leur handicap. On ne peut rien y changer. Il faut donc continuer à vivre avec lui le plus normalement et le mieux possible. Certains handicapés disent que leur handicap leur a appris à être plus forts, plus déterminés, et que, grâce à lui, ils ont découvert et développé des aptitudes qu'ils ne se connaissaient pas. Certains deviennent membres d'organisations qui essaient d'offrir aux handicapés les mêmes possibilités qu'aux autres personnes.

De nombreux handicapés compensent leur handicap en développant d'autres habiletés. La photo montre un garçon mal entendant qui communique au moyen d'un appareil auditif et du langage par signes.

Que peuvent nous apprendre les handicapés?

Que nous soyons handicapés ou non, nous pouvons tous apprendre quelque chose les uns des autres. Les handicapés ne se considèrent pas comme particulièrement courageux. Ils disent qu'ils ont été simplement forcés de s'adapter à leur situation. Mais cela leur a vraisemblablement demandé beaucoup d'efforts. Ils ont appris à ne pas abandonner. Pour nous aussi, la persévérance et une grande faculté d'adaptation sont importantes. La vie n'est pas toujours facile. Nous devrons affronter des épreuves. C'est face aux défis que nous apprenons le mieux à nous comprendre et à comprendre les autres.

> Nous pensons souvent que les handicapés sont des personnes particulièrement courageuses. Si tu connais un handicapé, tu auras remarqué qu'à ses yeux, il ne fait que vivre avec son handicap, tout simplement.

29

Qu'est-ce que je peux faire?

Tu as compris maintenant combien il est important de traiter tous les gens comme des individus bien distincts.

Les handicapés n'éprouvent pas tous les mêmes sentiments et n'ont pas tous les mêmes besoins. Avant de te précipiter pour l'aider, demande-toi d'abord quelle sorte d'aide la personne handicapée serait heureuse de recevoir.

La pitié peut offenser les handicapés. N'oublie pas que les mots peuvent également blesser. Certains pensent que ce n'est pas bien méchant, mais tu sais, toi, que certains mots peuvent faire très mal. En outre, ils mettent l'accent sur le handicap et non sur la personne.

Nous sommes tous doués pour certaines choses.

Découvre tes propres besoins et sois attentif à ceux des autres.

Adresses utiles

Belgique

Écoute-Enfants
N° d'appel: 11 44 00
du lundi au vendredi
de 8h30 à 20 h.

France

Fédération nationale
des malades, infirmes
et paralysés
(F.N.M.I.P.)
54 bd Garibaldi
75015 Paris
Tél.: (1) 47.34.48.35

Canada

Office des personnes
handicapées du
Québec
C.P. 820
309, rue Brock
Drummondville
(Québec) J2B 6X1

Glossaire

Aptitude : Disposition naturelle.

Braille : Écriture à l'aide de points en relief qui permet aux aveugles de lire en touchant la page.

Dystrophie musculaire : Maladie héréditaire qui provoque l'affaiblissement et la «fonte» des muscles.

Kiné : Abréviation de kinésithérapeute, personne spécialisée qui, à l'aide de massages et de mouvements, s'efforce de rendre au handicapé une certaine mobilité.

Maladie héréditaire : Maladie transmise par les parents au bébé.

Paraplégie : Paralysie du bas du corps.

Polio : Abréviation de poliomyélite, maladie contagieuse qui frappe la moelle épinière.

Préjugé : Jugement porté par avance sur quelqu'un ou quelque chose sans avoir pris la peine de se former une opinion par soi-même.

Sclérose en plaques : Maladie du système nerveux central.

Index

Origine des photographies :

Première page de couverture et pages 8-9 et 14-15 : Topham Picture Source ; pages 6-7 : Science Photo Library ; pages 10-11 : Frank Spooner Pictures ; pages 4-5, 16-17, 20-21 et 24 : Marie-Helene Bradley ; pages 18-19 : Paul Nightingale ; pages 23 et 28 : Spectrum Colour Library ; page 26 : Eye Ubiquitous.